الخطوة السهلة لقراءة القرآن الكريم

الجزء الأول

Wisdom Publications

إعداد:

أبو صالحة بن أيوب

خادم القرآن الكريم

معهد زينة القرآن

المعلومات الشخصية
PERSONAL INFORMATION

Student Name: ZAKIA MOHAMUD الإسم:

Student Address: 49 العنوان:

School Name: إسم المدرسة:

Class: القسم:

Form/Year: السنة:

Teacher: المعلم:

Date Started: تاريخ البداية:

Date Completed: تاريخ النهاية:

SIMPLE STEPS IN QUR'AAN READING (PART 1)
A 3 PART SERIES

FIRST EDITION	*1423*	*2003*
SECOUND EDITION	*1429*	*2008*
THIRD EDITION	*1431*	*2010*
FOURTH EDITION	*1433*	*2012*

PREPARED BY
Abu-Saalihah Bin Ayyub
Zeenat-Ul-Qur'aan Academy
Nuneaton, England, UK

ISBN: 978-1-84828-076-2

PUBLISHED BY

Wisdom
Publications

© WISDOM PUBLICATIONS

info@wisdompublications.co.uk
www.wisdompublications.co.uk

Distributed by Azhar Academy Ltd.
54-68 Little Ilford Lane
Manor Park
London
E12 5QA
sales@azharacademy.com
www.azharacademy.com
TEL: +44 (020) 8911 9797
FAX: +44 (020) 8911 8999

DESIGN & PAGE SETTING:
Aslam Lorgat - Zi-Clone Multimedia UK
Ayyub Abbasi - SaiCom Graphic Designing INDIA
Abu-Saalihah Ayyub - UK

PREFACE

بسم الله الرحمن الرحيم

الحمدلله الذي علم الانسان مالم يعلم ، والصلوة والسلام على حبيبه محمد ﷺ أما بعد ....

All praises belong to our Creator and Sustainer Allah ﷻ and peace and blessings be upon our Beloved Nabi ﷺ.

Dear Reader, by the grace of Allah you have in your hands the fourth complete edition of 'Simple Steps in Qur'aan Reading'. As the name suggests only a few simple steps are required in order to correctly recite and pronounce the Arabic alphabet letters directly from the Qur'aan.

We have made some amendments to this edition after receiving valuable advice from those scholars, teachers and parents who've used the previous edition and we hope you find these helpful.

Here are some of the changes we've made:

- ✓ *Arabic words taken directly from the Qur'aan - references are available on request; except Part One (initial lessons).*
- ✓ *Use of 'Majidi fonts' resembling the Majidi script. The preferential script of Qur'aans from the subcontinent.*
- ✓ *Use of Professional designers for the overall outlay and design.*
- ✓ *Adoption of colour coding for ease of understanding and recitation.*
- ✓ *Addition of simple colour coding from Surah Al-Fajr to An-Naas to aid in remembering rules of Tajweed.*

The Audio CD's have also been revamped:

- ✓ *The addition of an Explanatory note at the beginning of each lesson*
- ✓ *Recitation of the Arabic text by Shaykh Abu-Muhammad-Jibreel*
- ✓ *Narration of English text by a Year 2 Student*
- ✓ *Professional recording of CDs in Digital format*
- ✓ *Laminated and brightly coloured flash cards*
- ✓ *Qur'aan recitation CDs with individual tracks which correspond to individual lessons*
- ✓ *Colouring and writing books for young students*
- ✓ *A self study manual for Adults and older students*

This edition comes with an interactive CD to help students gain a better understanding.
Additional support is available via our website.

Although we have taken the utmost care in the compilation and production of this book should you find any errors please don't hesitate in informing us. Your feedback is always welcome.

May Allah ﷻ forgive my shortcomings and accept this work as a means of acquiring his pleasure and closeness to his beloved Mustafa ﷺ.
May he reward my family, friends and well-wishers who've supported and encouraged me in continuing this noble work.

والله ولي التوفيق . نسأل الله أن ينفع به عموم المسلمين

Abu-Saalihah bin Ayyub
Khaadim-Ul-Qur'aan
Nuneaton, England
Rabi 'ul Awwal 23, 1433 AH

بسم الله الرحمن الرحيم

IN THE NAME OF ALLAH

MOST GRACIOUS, MOST MERCIFUL

بِسْمِ ٱللَّهِ ٱلرَّحْمَٰنِ ٱلرَّحِيمِ

Arabic Alphabet

Lesson 1

ا ب ت ث ج

ح خ د ذ ر

ز س ش ص ض

ط ظ ع غ ف

ق ك ل م ن

و ه ء ي

Comments:

Date Completed: / /

Excellent ☐ Good ☐ Average ☐

Mixed Arabic Alphabet

Lesson 2

ل	ط	ه	ب	خ
ر	ع	د	س	ج
ض	ي	ش	غ	ز
ك	م	ن	ت	و
ظ	ا	ذ	ث	ق
ح	ء	ف	ص	

Publications

Comments:

Date Completed: / /

Excellent ☐ Good ☐ Average ☐

Letters in Various Forms

Lesson 3

ـب	ـبـ	بـ	ب
ـت	ـتـ	تـ	ت
ـث	ـثـ	ثـ	ث
ـج	ـجـ	جـ	ج
ـح	ـحـ	حـ	ح
ـخ	ـخـ	خـ	خ

Comments:

Date Completed: / /

Excellent ☐ Good ☐ Average ☐

Lesson 4

ـد	ـد	د	د
ـذ	ـذ	ذ	ذ
ـر	ـر	ر	ر
ـز	ـز	ز	ز
ـس	ـسـ	سـ	س
ـش	ـشـ	شـ	ش

Comments:

Date Completed: / /

Excellent ☐ Good ☐ Average ☐

Letters in Various Forms

Lesson 5

ـص	ـصـ	صـ	ص
ـض	ـضـ	ضـ	ض
ـط	ـطـ	طـ	ط
ـظ	ـظـ	ظـ	ظ
ـع	ـعـ	عـ	ع
ـغ	ـغـ	غـ	غ

Comments:

Date Completed: / /

Excellent ☐ Good ☐ Average ☐

بِسْمِ اللَّهِ الرَّحْمَٰنِ الرَّحِيمِ

Letters in Various Forms

Lesson 6

ـف	ـفـ	فـ	ف
ـق	ـقـ	قـ	ق
ـك	ـكـ	كـ	ك
ـل	ـلـ	لـ	ل
ـم	ـمـ	مـ	م
ـن	ـنـ	نـ	ن

Comments:

Date Completed: / /

Excellent ☐ Good ☐ Average ☐

بِسْمِ اللَّهِ الرَّحْمَٰنِ الرَّحِيمِ

Letters in Various Forms

Lesson 7

ـو	ـو	و	و
ـه	ـهـ	هـ	ه
ـئ	ـئـ	ؤ	ء
ـي	ـيـ	يـ	ي

Comments:

Date Completed: / /

Excellent ☐ Good ☐ Average ☐

Joining Letters in Various Forms

Lesson 8

سب	لبس	بس	ب
فت	بتل	تر	ت
يث	حثن	ثا	ث
كج	صجل	جو	ج
طح	طحث	حد	ح
مخ	حخم	خم	خ

Comments:

Date Completed: / /

Excellent ☐ Good ☐ Average ☐

بِسۡمِ ٱللَّهِ ٱلرَّحۡمَٰنِ ٱلرَّحِيمِ

Joining Letters in Various Forms

Lesson 9

لد	بدت	دع	د
تذ	ثذف	ذف	ذ
فر	عرق	رع	ر
رز	قزب	زل	ز
بس	تسق	ست	س
نش	تشم	شن	ش

Comments:

Date Completed: / /

Excellent ☐ Good ☐ Average ☐

Joining Letters in Various Forms

Lesson 10

شص	سصا	صط	ص
فض	يضف	ضف	ض
كط	لطك	طك	ط
خظ	تظح	ظث	ظ
خع	خعن	عخ	ع
طغ	طغل	غط	غ

Comments:

Date Completed: / /

Excellent ☐ Good ☐ Average ☐

بِسۡمِ ٱللَّهِ ٱلرَّحۡمَٰنِ ٱلرَّحِيمِ

Joining Letters in Various Forms

Lesson 11

ف	فب	بفن	بف
ق	قا	لقا	لق
ك	كج	جكم	جك
ل	لت	كلف	كل
م	مع	عمص	ضم
ن	نت	شنح	شن

Comments:

Date Completed: / /

Excellent ☐ Good ☐ Average ☐

بِسْمِ اللّٰهِ الرَّحْمٰنِ الرَّحِيْمِ

Lesson 12

بو	تول	وا	و
له	حهت	هح	ه
بئ	جئت	ئن	ء
جي	ليخ	يس	ي

Comments:

Date Completed: / /

Excellent ☐ Good ☐ Average ☐

بِسْمِ اللَّهِ الرَّحْمَٰنِ الرَّحِيمِ

Lesson 13

غل	فق	به	صب	ضخ
حر	خم	هد	عس	عج
بف	ذي	سس	جع	جز
فك	يم	عن	لت	طو
تل	لا	لذ	عذ	طق
ست	كح	فل	لف	بق

Comments:

Date Completed: / /

Excellent ☐ Good ☐ Average ☐

FATHAH

بَ

FATHAH is also known as **ZABAR,** it's a small stroke appearing on top of a letter. It sounds like **'a'** in p<u>a</u>th. Take care NOT to lengthen it.

Arabic Alphabet with Fathah

Lesson 14

اَ	بَ	تَ	ثَ	جَ
حَ	خَ	دَ	ذَ	رَ
زَ	سَ	شَ	صَ	ضَ
طَ	ظَ	عَ	غَ	فَ
قَ	كَ	لَ	مَ	نَ
وَ	هَ	ءَ	يَ	

Comments:

Date Completed: / /

Excellent ☐ Good ☐ Average ☐

Mixed Arabic Alphabet with Fathah

Lesson 15

خَ بَ هَ طَ لَ

جَ سَ دَ عَ رَ

زَ غَ شَ يَ ضَ

وَ تَ نَ مَ كَ

قَ ثَ ذَ اَ ظَ

صَ فَ ءَ حَ

Comments:

Date Completed: / /

Excellent ☐ Good ☐ Average ☐

Joining Letters with Fathah

Lesson 16

اَبَ	=	بَ	+	اَ
دَمَ	=	مَ	+	دَ
رَسَ	=	سَ	+	رَ
مَعَ	=	عَ	+	مَ
بَنَ	=	نَ	+	بَ
عَطَ	=	طَ	+	عَ

Comments:

Date Completed: / /

Excellent ☐ Good ☐ Average ☐

بِسْمِ اللَّهِ الرَّحْمَٰنِ الرَّحِيمِ

Joining Letters with Fathah

Lesson 17

مَ	+	تَ	=	مَتَ
غَ	+	اَ	=	غَاَ
كَ	+	شَ	=	كَشَ
حَ	+	كَ	=	حَكَ
نَ	+	بَ	=	نَبَ
فَ	+	رَ	=	فَرَ

Comments:

Date Completed: / /

Excellent ☐ Good ☐ Average ☐

بِسْمِ اللهِ الرَّحْمٰنِ الرَّحِيْمِ

Joining Letter with Fathah

Lesson 18

ضَ + جَ = ضَجَ

يَ + زَ = يَزَ

لَ + قَ = لَقَ

شَ + خَ = شَخَ

قَ + لَ = قَلَ

هَ + ظَ = هَظَ

Comments:

Date Completed: / /

Excellent ☐ Good ☐ Average ☐

3 Letter Words with Fathah

Lesson 19

حَضَرَ	مَثَلَ	كَتَمَ
سَأَلَ	تَرَكَ	غَضَبَ
مَنَعَ	رَفَثَ	عَرَضَ
خَلَقَ	فَرَضَ	كَتَبَ
فَعَلَ	وَقَعَ	يَدَكَ
دَخَلَ	وَجَدَ	جَعَلَ

Comments:

Date Completed: / /

Excellent ☐ Good ☐ Average ☐

KASRAH

KASRAH is also known as **ZER,** it's a small stroke appearing at the bottom of a letter. It sounds like the **'i'** in b<u>i</u>n. Take care NOT to lengthen it.

Arabic Alphabet with Kasrah

Lesson 20

جِ	ثِ	تِ	بِ	اِ
رِ	ذِ	دِ	خِ	حِ
ضِ	صِ	شِ	سِ	زِ
فِ	غِ	عِ	ظِ	طِ
نِ	مِ	لِ	كِ	قِ
يِ	ءِ	هِ	وِ	

Comments:

Date Completed: / /

Excellent ☐ Good ☐ Average ☐

بِسْمِ اللَّهِ الرَّحْمَٰنِ الرَّحِيمِ

Mixed Arabic Alphabet with Kasrah

Lesson 21

لِ	طِ	هِ	بِ	خِ
رِ	عِ	دِ	سِ	جِ
ضِ	يِ	شِ	غِ	زِ
كِ	مِ	نِ	تِ	وِ
ظِ	اِ	ذِ	ثِ	قِ
حِ	ءِ	فِ	صِ	

Comments:

Date Completed: / /

Excellent ☐ Good ☐ Average ☐

بِسْمِ اللَّهِ الرَّحْمَٰنِ الرَّحِيمِ

Joining Letters with Kasrah

Lesson 22

اِ + بِ = اِبِ

دِ + مِ = دِمِ

رِ + سِ = رِسِ

مِ + عِ = مِعِ

بِ + نِ = بِنِ

عِ + طِ = عِطِ

Comments:

Date Completed: / /

Excellent ☐ Good ☐ Average ☐

بِسْمِ اللهِ الرَّحْمٰنِ الرَّحِيْمِ

Joining Letters with Kasrah

Lesson 23

مِتِ	=	تِ	+	مِ
غِاِ	=	اِ	+	غِ
كِشِ	=	شِ	+	كِ
حِكِ	=	كِ	+	حِ
نِبِ	=	بِ	+	نِ
فِرِ	=	رِ	+	فِ

Comments:

Date Completed: / /

Excellent ☐ Good ☐ Average ☐

بِسۡمِ ٱللَّهِ ٱلرَّحۡمَٰنِ ٱلرَّحِيمِ

Joining Letters with Kasrah

Lesson 24

ضِجِ	=	جِ	+	ضِ
يِزِ	=	زِ	+	يِ
لِقِ	=	قِ	+	لِ
شِخِ	=	خِ	+	شِ
قِلِ	=	لِ	+	قِ
هِظِ	=	ظِ	+	هِ

© Simple Steps In Qur'aan Reading

Comments:

Date Completed: / /

Excellent ☐ Good ☐ Average ☐

بِسۡمِ ٱللَّهِ ٱلرَّحۡمَٰنِ ٱلرَّحِيمِ

3 Letter Words with Kasrah

Lesson 25

حِضِرِ	مِثِلِ	كِتِمِ
سِاِلِ	تِرِكِ	غِضِبِ
مِنِعِ	رِفِثِ	عِرِضِ
خِلِقِ	فِرِضِ	كِتِبِ
فِعِلِ	وِقِعِ	يِدِكِ
دِخِلِ	وِجِدِ	جِعِلِ

Comments:

Date Completed: / /

Excellent ☐ Good ☐ Average ☐

DHAMMAH

بُ

DHAMMAH is also known as **PESH,** it's a Hook like symbol appearing on top of a letter. It sounds like **'u'** in pull. Take care NOT to lengthen it.

بِسْمِ اللهِ الرَّحْمٰنِ الرَّحِيْمِ

Arabic Alphabet with Dhammah

Lesson 26

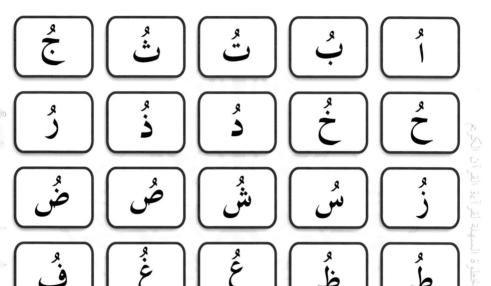

أُ بُ تُ ثُ جُ

حُ خُ دُ ذُ رُ

زُ سُ شُ صُ ضُ

طُ ظُ عُ غُ فُ

قُ كُ لُ مُ نُ

وُ هُ ءُ يُ

Comments:

Date Completed: / /

Excellent ☐ Good ☐ Average ☐

Mixed Arabic Alphabet with Dhammah

Lesson 27

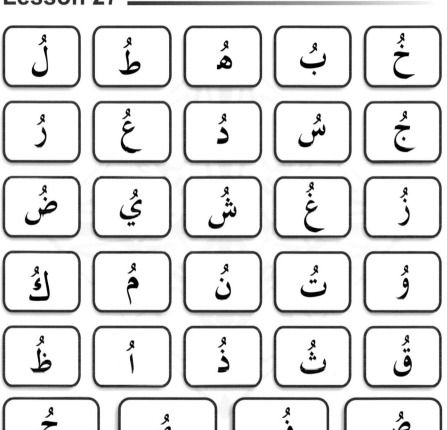

لُ	طُ	هُ	بُ	خُ
رُ	عُ	دُ	سُ	جُ
ضُ	يُ	شُ	غُ	زُ
كُ	مُ	نُ	تُ	وُ
ظُ	أُ	ذُ	ثُ	قُ
حُ	ءُ	فُ	صُ	

Comments:

Date Completed: / /

Excellent ☐ Good ☐ Average ☐

Joining Letters with Dhammah

Lesson 28

اُبُ	=	بُ	+	اُ	
دُمُ	=	مُ	+	دُ	
رُسُ	=	سُ	+	رُ	
مُعُ	=	عُ	+	مُ	
بُنُ	=	نُ	+	بُ	
عُطُ	=	طُ	+	عُ	

Comments:

Date Completed: /   /

Excellent ☐   Good ☐   Average ☐

بِسْمِ اللَّهِ الرَّحْمَٰنِ الرَّحِيمِ

Joining Letters with Dhammah

Lesson 29

مُ	+	تُ	=	مُتُ
غُ	+	اُ	=	غُاُ
كُ	+	شُ	=	كُشُ
حُ	+	كُ	=	حُكُ
نُ	+	بُ	=	نُبُ
فُ	+	رُ	=	فُرُ

Comments:

Date Completed: / /

Excellent ☐ Good ☐ Average ☐

بِسْمِ اللهِ الرَّحْمٰنِ الرَّحِيْمِ

Joining Letters with Dhammah

Lesson 30

ضُ	+	جُ	=	ضُجُ
يُ	+	زُ	=	يُزُ
لُ	+	قُ	=	لُقُ
شُ	+	خُ	=	شُخُ
قُ	+	لُ	=	قُلُ
هُ	+	ظُ	=	هُظُ

Comments:

Date Completed: / /

Excellent ☐ Good ☐ Average ☐

3 Letter Words with Dhammah

Lesson 31

حُضُرُ	مُثُلُ	كُتُمُ
سُأُلُ	تُرُكُ	غُضُبُ
مُنُعُ	رُفُثُ	عُرُضُ
خُلُقُ	فُرُضُ	كُتُبُ
فُعُلُ	وُقُعُ	يُدُكُ
دُخُلُ	وُجُدُ	جُعُلُ

© Simple Steps In Qur'aan Reading

Comments:

Date Completed: / /

Excellent ☐ Good ☐ Average ☐

HARAKAH

FATHAH, KASRAH & DHAMMAH
are collectively known as **Harakah**

بَ بِ

بُ

الخطوة السهلة لقراءة القرآن الكريم

Arabic Alphabet with Harakah

Lesson 32

اُ	اِ	اَ
بُ	بِ	بَ
تُ	تِ	تَ
ثُ	ثِ	ثَ
جُ	جِ	جَ
حُ	حِ	حَ

Comments:

Date Completed: / /

Excellent ☐ Good ☐ Average ☐

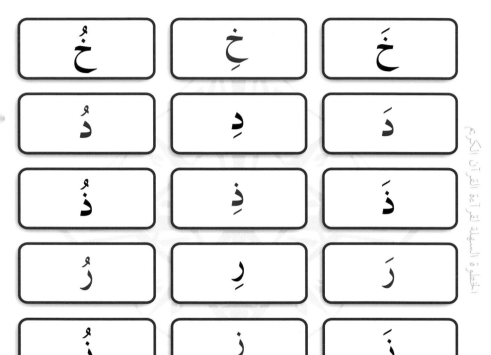

بِسْمِ اللّٰهِ الرَّحْمٰنِ الرَّحِيْمِ

Lesson 33

خُ	خِ	خَ
دُ	دِ	دَ
ذُ	ذِ	ذَ
رُ	رِ	رَ
زُ	زِ	زَ
سُ	سِ	سَ

Comments:

Date Completed: / /

Excellent ☐ Good ☐ Average ☐

بِسْمِ اللَّهِ الرَّحْمَٰنِ الرَّحِيمِ

Arabic Alphabet with Harakah

Lesson 34

شَ شِ شُ

صَ صِ صُ

ضَ ضِ ضُ

طَ طِ طُ

ظَ ظِ ظُ

عَ عِ عُ

© Simple Steps In Qur'aan Reading

Comments:

Date Completed: / /

Excellent ☐ Good ☐ Average ☐

بِسْمِ اللَّهِ الرَّحْمَٰنِ الرَّحِيمِ

Arabic Alphabet with Harakah

Lesson 35

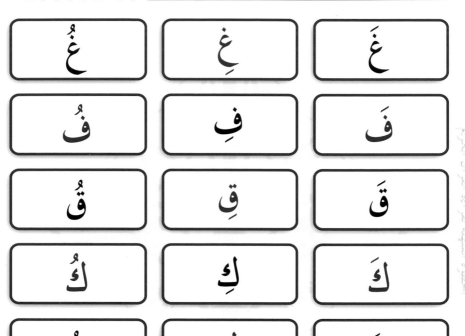

غُ	غِ	غَ
فُ	فِ	فَ
قُ	قِ	قَ
كُ	كِ	كَ
لُ	لِ	لَ
مُ	مِ	مَ

Comments:

Date Completed: / /

Excellent ☐ Good ☐ Average ☐

بِسْمِ اللّٰهِ الرَّحْمٰنِ الرَّحِيْمِ

Arabic Alphabet with Harakah

Lesson 36

نَ	نِ	نُ
وَ	وِ	وُ
هَ	هِ	هُ
ءَ	ءِ	ءُ
يَ	يِ	يُ

© Simple Steps In Qur'aan Reading

Comments:

Date Completed: / /

Excellent ☐ Good ☐ Average ☐

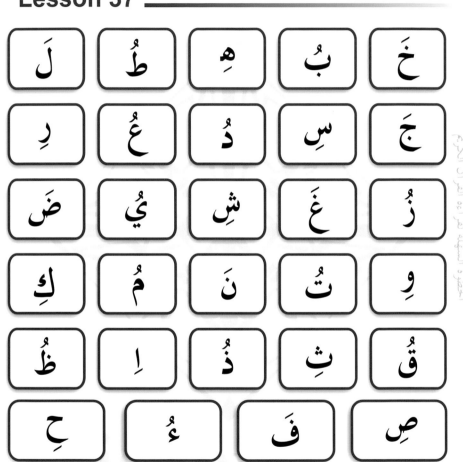

بِسْمِ اللَّهِ الرَّحْمَٰنِ الرَّحِيمِ

Mixed Arabic Alphabet with Harakah

Lesson 37

خَ	بُ	هِ	طُ	لَ
جَ	سِ	دُ	عُ	رِ
زُ	غَ	شِ	يُ	ضَ
وِ	تُ	نَ	مُ	كِ
قُ	ثِ	ذُ	اِ	ظُ
صِ	فَ	ءُ	حِ	

Comments:

Date Completed: / /

Excellent ☐ Good ☐ Average ☐

3 Letter Words with Mixed Symbols

Lesson 38

خَسِرَ	وَلِيَ	فَلِمَ
لَمِنَ	تَبِعَ	وَسِعَ
فَهِيَ	شَهِدَ	مَعِيَ
رَضِيَ	سَفِهَ	عَهِدَ
حَسِبَ	غَضِبَ	تَجِدَ
خَشِيَ	اَذِنَ	شَرِبَ

Comments:

Date Completed: / /

Excellent ☐ Good ☐ Average ☐

3 Letter Words with Mixed Symbols

Lesson 39

قُضِيَ	كُتِبَ	عُفِيَ
حُشِرَ	عُرِضَ	ضُرِبَ
وُعِدَ	ذُكِرَ	خُلِقَ
نُفِخَ	أُفِكَ	قُتِلَ
تُطِعَ	قُدِرَ	نُقِرَ
جُمِعَ	كُبِرَ	لُعِنَ

Comments: Date Completed: / /

Excellent ☐ Good ☐ Average ☐

بِسْمِ اللّٰهِ الرَّحْمٰنِ الرَّحِيْمِ

4 & 5 Letter Words with Mixed Symbols

Lesson 40

قِبَلَكَ	بَلَغَتِ	سَاَلَكَ
ثُلُثَيِ	اَحَسِبَ	فَطَفِقَ
بِيَدِكَ	تَبِعَكَ	عَضُدَكَ
حُمِلَتِ	فَبَصَرُكَ	كَمَثَلِ
لَنُبِذَ	ظَلَمَكَ	وَقُضِيَ
فَقُطِعَ	مَنَعَكَ	فَطُبِعَ

Comments:

Date Completed: / /

Excellent ☐ Good ☐ Average ☐

قالوا سبحانك لا علم لنا إلا ما علمتنا إنك أنت العليم الحكيم

"Glory be to you, we have no knowledge except what you have taught us.
Verily, it is You, the All Knower, the All Wise,".
Surah Al-Baqarah-32

Maa-Sha'-Allah!
Congratulation
On Completing

"Simple Steps in Qur'aan Reading – Part 1"

You may now commence
Part 2 of the series

We pray that you will find Part 2
As enjoyable too .... Aameen !

<u>NOTES</u>

الطبعة الاولى	١٤٢٣ هـ - ٢٠٠٣ م
الطبعة الثانية	١٤٢٩ هـ - ٢٠٠٨ م
الطبعة الثالثة	١٤٣١ هـ - ٢٠١٠ م
الطبعة الرابعة	١٤٣٣ هـ - ٢٠١٢ م

First Edition	1423 - 2003
Second Edition	1429 - 2008
Third Edition	1431 - 2010
Fourth Edition	1433 - 2012

PUBLISHED BY:

Wisdom
Publications

WISDOM PUBLICATIONS

info@wisdompublications.co.uk
www.wisdompublications.co.uk

Affiliated to:
Zeenat-Ul-Qur'aan Academy